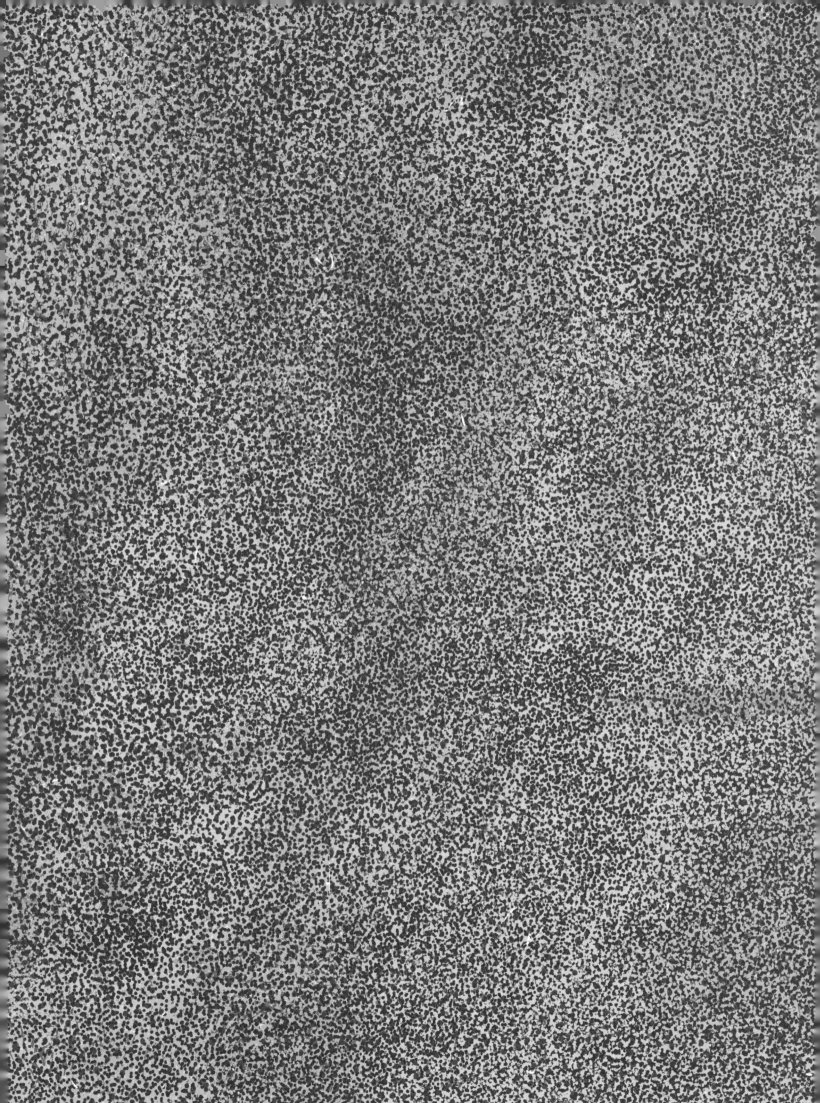

TONY T-REX
UND SEINE FAMILIE

DIE GESCHICHTE DER DINOSAURIER!

E.A.SEEMANNs
BILDERBANDE

HALLO, MEIN NAME IST TONY

Ich bin ein Tyrannosaurus Rex. Die Leute nennen mich T-Rex, aber ihr könnt gerne Tony zu mir sagen. Ich werde euch erzählen, wie Dinosaurier wirklich waren. Und da fange ich am besten mit meiner eigenen Familie an. Macht euch bereit für brandheiße Insider-Infos.

TONY T-REX UND SEINE FAMILIE

DIE GESCHICHTE DER DINOSAURIER!

Illustriert von Rob Hodgson
Text von Dino-Experte Mike Benton

E. A. SEEMANNs
BILDERBANDE

DAS WHO'S WHO DER DINOS

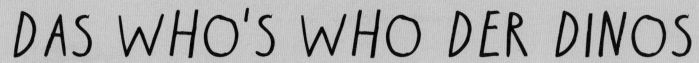

BRACHIOSAURUS
Dirk Dickbauch
S. 22

CERATOSAURUS
Horst Horni
S. 24

ALLOSAURUS
Kannibalen-Käthe
S. 20

MEGALOSAURUS
Riesen-Liesel
S. 11

DIPLODOCUS
Dieter Doofnuss

STEGOSAURUS
Cowboy Stachelschwanz

LIOPLEURODON
Flossi, die
Meisterschwimmerin

Das bin ich!

FAMILIENGEHEIMNISSE AUSGRABEN

Wenn ihr meine Geschichten nicht glaubt, dann fragt doch die Wissenschaftler.
Paläontologen* sind unsere treuesten Fans. Ausgerüstet mit Spaten, Spitzhacke
und Pinsel brauchen sie manchmal Jahrzehnte, um unsere Fossilien* auszubuddeln.
Doch die Geheimnisse, die sie dabei entdecken, lohnen das ganze Graben.
Und so funktioniert's.

1. MAN NEHME EINEN TOTEN DINOSAURIER

Es dauert Millionen von Jahren, bis ein Fossil entsteht. Nimm zuerst
einen Dinosaurier, der in der Nähe eines Flusses oder eines Sees
gestorben ist. Lass das Fleisch des Dinos verwesen (mindestens
5 Jahre lang).

2. MAN BEDECKE IHN MIT SCHLAMM

Als Nächstes schütte unzählige Schichten
aus Schlamm und Sand über das Skelett.
Das Gewicht von allem verwandelt den Schlamm
in der untersten Schicht in Sandstein*.

3. MAN FÜGE WASSER HINZU

Gib Wasser dazu und lass es durch den Sandstein
sickern. Das Wasser wird die Knochen des
Dinosauriers auflösen, aber keine Angst! Die
Mineralien* im Wasser ersetzen die aufgelösten
Teile und so entsteht ein steinhartes Fossil.

4. MAN WARTE 2 MILLIONEN JAHRE

Lass den Sandstein, der dein Fossil umgibt,
etwa 2 Millionen Jahre lang erodieren*. Jetzt
kann das Graben beginnen!

 Auf Seite 58 findest du Tipps, wie du versteinerte
Dino-Kacke und Dino-Kotze findest.

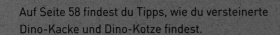

Hast du jemals versucht, ein Puzzle fertigzustellen, und bist dann mittendrin darauf gekommen, dass dein Hund die Hälfte der Teile gefressen hat? So ungefähr ist das, wenn man versucht, Dino-Fossilien wieder zusammenzusetzen. In der Schlamm-Phase werden die Dinosaurier-Knochen oft voneinander getrennt. Wenn der Paläontologe ein Dino-Skelett zusammenbauen will, sollte er also den Unterschied zwischen einem Dinosaurier und einer echt großen Eidechse kennen.

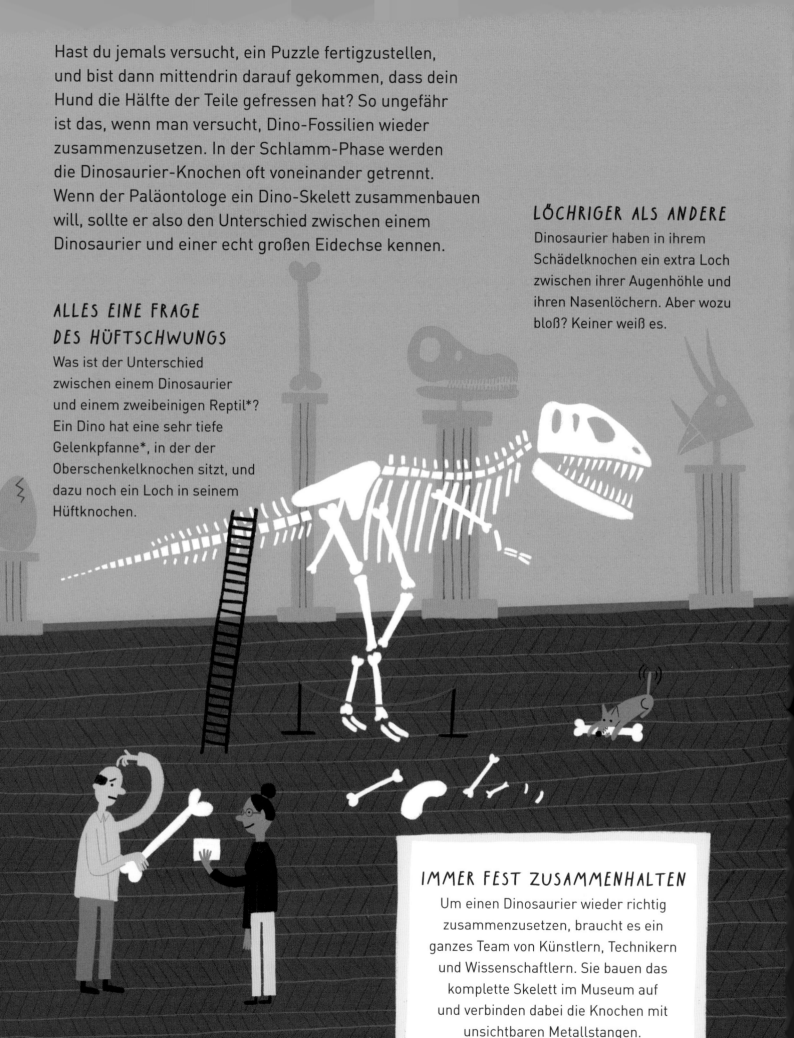

LÖCHRIGER ALS ANDERE

Dinosaurier haben in ihrem Schädelknochen ein extra Loch zwischen ihrer Augenhöhle und ihren Nasenlöchern. Aber wozu bloß? Keiner weiß es.

ALLES EINE FRAGE DES HÜFTSCHWUNGS

Was ist der Unterschied zwischen einem Dinosaurier und einem zweibeinigen Reptil*? Ein Dino hat eine sehr tiefe Gelenkpfanne*, in der der Oberschenkelknochen sitzt, und dazu noch ein Loch in seinem Hüftknochen.

IMMER FEST ZUSAMMENHALTEN

Um einen Dinosaurier wieder richtig zusammenzusetzen, braucht es ein ganzes Team von Künstlern, Technikern und Wissenschaftlern. Sie bauen das komplette Skelett im Museum auf und verbinden dabei die Knochen mit unsichtbaren Metallstangen.

DER JURA
201 BIS 145 MILLIONEN JAHRE
(vor wirklich langer, langer, langer Zeit)

Meine Geschichte beginnt vor 201 Millionen
Jahren. Da waren die Menschen noch
gar nicht erfunden! Es war der Beginn
des Jura*-Zeitalters und die
Epoche, in der uns Dinosauriern
der große Durchbruch gelang.
Das Massenaussterben*
der Trias* hatte soeben
sämtliche Reptilien
dieser Zeit ausgelöscht.
Damit war die Bühne
frei für uns!

LAURASIA

TETHYSMEER

GOND-
WANA

Im Lauf von 30 Millionen
Jahren haben wir uns über
große Teile von Pangaea
ausgebreitet. So hieß der
Superkontinent, ehe er durch
Vulkane auseinandergerissen
wurde. Es ist eine wahre Schande,
dass uns – in Form eines
Meteoriteneinschlags* – ein weiteres
Massenaussterben ins Haus stand. Denn
sonst würden vermutlich Dino-Kinder anstelle
von Menschenkindern dieses Buch lesen!

MEGALOSAURUS

RIESEN-LIESEL

GROSSBRITANNIEN

Unsere Familiengeschichte beginnt mit Riesen-Liesel.
Sie war einer der ersten lebenden Dinosaurier und auch der
erste, der von Menschen entdeckt wurde. Als ein Mann mit
Namen William Buckland die Knochen fand, dachte er, sie
wären von einer riesigen Eidechse – er hatte keinen blassen
Schimmer, dass so etwas wie Dinosaurier überhaupt existierten.

SCHWERGEWICHTS-WELTMEISTERIN

Der Schwanz eines Megalosaurus
machte etwa die Hälfte seines
Gewichts von rund 3 Tonnen aus.
Also, aus dem Weg, wenn sich
Riesen-Liesel hinsetzt!

DER ERSTE SEINER ART

Megalosaurier gehörten zu den
ersten Theropoden*. Theropoden
hatten Hohlknochen, drei Zehen
an jedem Fuß und waren ganz
versessen auf Fleisch.

AN DER SPITZE DER NAHRUNGSKETTE

Riesen-Liesel und ihre Gang von Megalosauriern
und Dilophosauriern beherrschten das Zeitalter
des Jura. Fressenstechnisch betrachtet war kein
Dinosaurier vor ihnen sicher.

Glücklicherweise haben dann auch
die Wissenschaftler kapiert, dass Dinosaurier
und Eidechsen sich doch sehr voneinander unterscheiden.
Wir sind natürlich viel beeindruckender, und Riesen-Liesel
war da ganz klar keine Ausnahme. Mit ihrem Gewicht von bis zu
3 Tonnen war Liesel die Dino-Schwergewichts-Weltmeisterin
des Mitteljura.

EPIDEXIPTERYX

CRASHTEST-DETLEF

CHINA

Vor langer Zeit, nämlich im Jura, entwickelte* mein entfernter Vorfahre* Detlef neue Körpermerkmale. Detlefs Epidexipteryx-Gang war die erste, die Federn ausprobierte – leider solche, die nichts konnten, außer gut auszusehen. Detlef hoffte, dass er mit diesen Federn auch fliegen könnte. Er verwarf seinen Plan aber schnell wieder, nachdem er versuchsweise von einem hohen Baum gehüpft und direkt vor die Füße eines hungrigen Megalosaurier-Babys gekracht war.

DINO-KLAUEN

Ein Epidexipteryx war in etwa so groß wie eine Taube. Anstelle von Schnabel und Flügeln hatte er jedoch scharfe, vorstehende Zähne und lange Klauen.

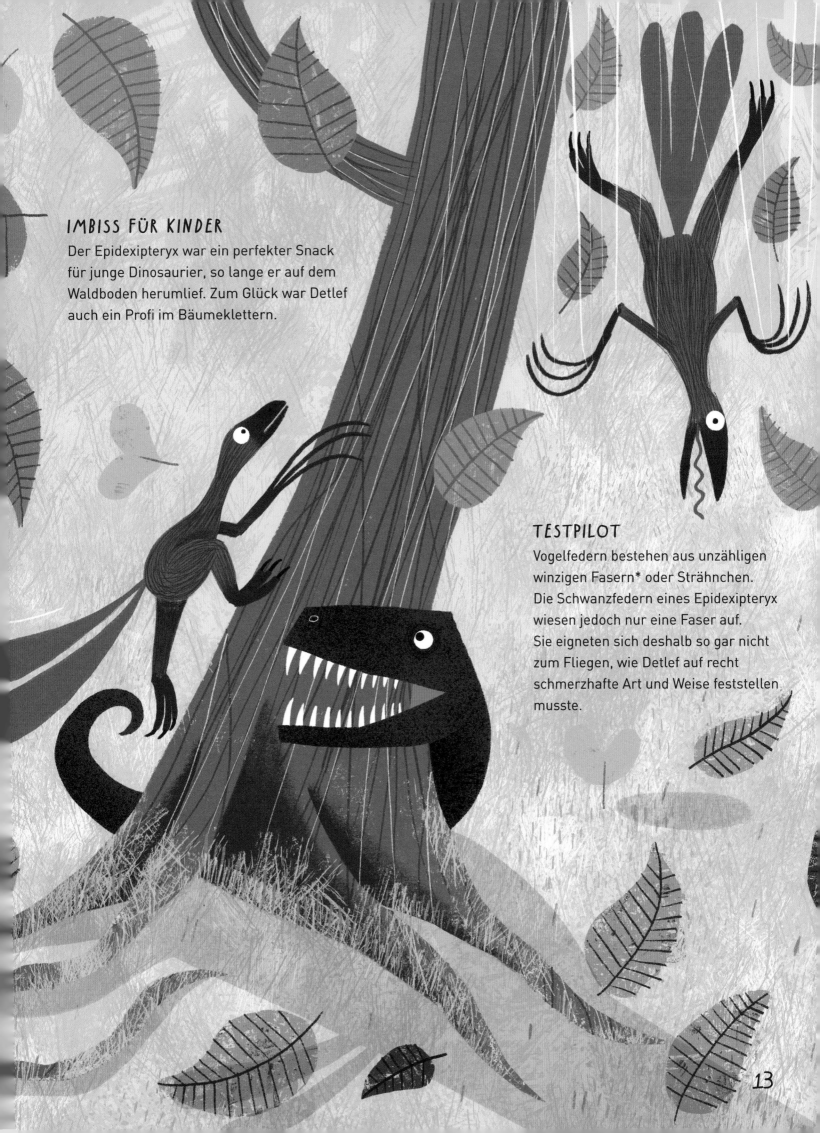

IMBISS FÜR KINDER

Der Epidexipteryx war ein perfekter Snack für junge Dinosaurier, so lange er auf dem Waldboden herumlief. Zum Glück war Detlef auch ein Profi im Bäumeklettern.

TESTPILOT

Vogelfedern bestehen aus unzähligen winzigen Fasern* oder Strähnchen. Die Schwanzfedern eines Epidexipteryx wiesen jedoch nur eine Faser auf. Sie eigneten sich deshalb so gar nicht zum Fliegen, wie Detlef auf recht schmerzhafte Art und Weise feststellen musste.

LIOPLEURODON
FLOSSI, DIE MEISTERSCHWIMMERIN
FRANKREICH

Wenn es ums Schwimmen ging, war Flossi mit Abstand
die Beste. Sie erfand die Vier-Flossen-Technik, indem sie
ihre paddelartigen Körperteile einsetzte (das ist ungefähr
so, als würde man ein Kanu mit Düsenantrieb ausstatten).
Damit konnte sie 3 Jahre hintereinander den Urzeit-Ozean-
Grand Prix gewinnen! Doch das Leben auf der Überholspur
war nicht so lustig, wie es vielleicht klingt. Als Königin
der Raubtiere* war Flossi entsprechend riesig und fraß
so ziemlich jedes Lebewesen, das ihr in die Quere kam.
Freunde zu finden ist ein bisschen schwierig, wenn jeder
weiß, dass er am Ende nur ein leckerer Snack ist.

NUMMER EINS!

Flossi war so groß wie ein
heutiger Wal. Damit ist sie
die größte Meeresräuberin
aller Zeiten.

14

DINO-PADDEL

Ein Liopleurodon ist in Wirklichkeit ein Pliosaurier (riesige, Fleisch fressende Meeresreptilien) und kein Dinosaurier. Liopleurodon konnte 15 Meter lang werden und 10 Stundenkilometer schnell schwimmen. Wie ein Torpedo beschleunigte er rasend schnell von 0 auf 100, um seine Beute* hinterrücks zu überrumpeln.

RIECH DOCH MAL!

Flossi konnte das Wasser mit ihren Nasenlöchern scannen, um herauszufinden, wo bestimmte Gerüche herkamen. Glaub mir, hättest du gepupst, hätte sie genau gewusst, dass du das warst!

15

DIPLODOCUS
DIETER DOOFNUSS
USA

Mein liebevoll als Doofnuss bezeichneter Onkel Dieter war eine Seele von einem Dino. Zwar wurde er oft als gedankenloser, tollpatschiger Rüpel missverstanden. Aber versucht ihr mal, elegant zu sein, wenn ihr der längste Dinosaurier der Welt seid! Alle Lebewesen lagen ihm am Herzen, weshalb er strenger Vegetarier war und penibel versuchte, ja auf niemanden draufzutreten.

EIN FEINZAHNIGER KAMM

Dieter besaß Reihen strahlender Zähne, die aussahen wie ein Kamm und sich perfekt dazu eigneten, die Blätter von Farnen, Schachtelhalmen und Koniferen abzustreifen.

Dieter war, wie ich zugeben muss, ein bisschen schwer von Begriff. Sein Gehirn war unheimlich klein, denn der Diplodocus hatte, im Vergleich zu seinem riesigen Körper, von allen Dinosauriern den kleinsten Kopf.

PEITSCHENHIEBE

Ein Diplodocus schwang seinen Schwanz wie eine Peitsche und fegte damit alle Feinde mir nichts, dir nichts vom Platz. Von der Nase bis zum Schwanz konnte er bis zu 35 Meter lang werden – das ist länger als drei Autobusse hintereinander!

XXL

Selbst als Erwachsener wuchs der Diplodocus noch weiter, bis er riesen-riesengroß war. Für alle Dinos, die Dieter als leckeres Abendessen einplanten, war er damit eine viel zu große Portion.

17

STEGOSAURUS
COWBOY STACHELSCHWANZ
USA

Als mein Urgroßvater Stachelschwanz noch ein Baby war, erkannten seine Eltern recht bald, dass er wohl eher ungeeignet für eine Karriere als Mathe-Professor war. Sein Gehirn wies buchstäblich die Größe einer Pflaume auf. Aber was ihm an Hirnschmalz fehlte, machte er durch rohe Gewalt wieder wett. Wenn Allosaurier und Ceratosaurier ihn jagten, ist er nicht einmal losgerannt. Warum auch? Wo er sie doch mit nur einem Schwanzschlag an den Felsen donnern konnte.

TÖDLICHE WAFFEN

Die Stacheln am Schwanz eines Stegosaurus waren tödlich. Die Paläontologen wissen das, weil sie einen toten Allosaurus mit einem Loch in seiner Wirbelsäule* gefunden haben. Dieses Loch entspricht genau der Größe der Stachelspitze eines Stegosaurus-Schwanzes.

Stachelschwanz besaß außerdem von Geburt an Knochenplatten entlang der Wirbelsäule. Niemand in der Familie konnte sich vorstellen, wozu die gut sein sollten, aber sie waren auf jeden Fall ziemlich cool. Mit seinem stacheligen Schwanz, den knöchernen Wirbelsäulenplatten und seinem extrem langsamen, wiegenden Gang wirkte Stachelschwanz wie ein Cowboy. Wer braucht schon ein Hirn, wenn er der John Wayne der Jura-Zeit ist?

WARNSIGNAL

Die Paläontologen nehmen an, dass sich die Wirbelsäulenplatten des Stegosaurus bei Gefahr durch einen Angreifer rot verfärben konnten. Wenn Stachelschwanz also errötete, hielt man sich besser von ihm fern.

RESERVEGEHIRN

Möglicherweise hatte der Stegosaurus in einer Tasche in seinem Rückenmark* ein Reservegehirn versteckt, das 20 Mal größer war als sein eigentliches Gehirn. Ich bin mir aber nicht ganz sicher, ob es ihm viel geholfen hätte.

ALLOSAURUS

KANNIBALEN-KÄTHE

PORTUGAL

Sie konnte vielleicht keine Knochen mit den Zähnen zermalmen, so wie ich, aber deswegen war Kannibalen-Käthe nicht weniger angsterregend. Die Kombination aus eleganten Hörnern, S-förmigem Hals und der waghalsigen Lebenseinstellung ging für Stegosaurier und Dipolodocus oft ziemlich tödlich aus. (Hätten sie mal gewusst, dass Käthe 70 dolchartige Zähne besaß, die nur darauf warteten, sich in ihr Fleisch zu graben.)

EIN WENIG WACKELIG AUF DEN FÜSSEN

Ohne den extrem muskulösen Schwanz wäre der Körper eines Allosaurus völlig aus dem Gleichgewicht geraten und aufgrund des Gewichts von Kopf und Kiefer wohl einfach vornübergekippt.

MESSERSCHARFE KAUWERKZEUGE

Käthe hatte Zähne mit gezackten Rändern, die durch Fleisch schneiden konnten wie ein Steakmesser. Ihre Zähne waren nach innen gebogen, damit sie ihre Beute besser festhalten konnte.

UNGLAUBLICH PRAKTISCH

Mit seinen hakenförmigen Krallen konnte der Allosaurus Dinge packen und extrem gut festhalten. Aus Käthes unbarmherzigem Griff gab es kein Entkommen.

Kannibalen-Käthe hatte auch eine verspielte Seite. Am liebsten spielte sie Verstecken. Besonderes lustig fand sie es, aus ihrem Hinterhalt herauszuspringen und einen ahnungslosen Kumpel mit ihren Krallen zu packen. Aber wie meine Mutter sagte: „Das ist so lange lustig, bis jemand weint." Käthes Spielkameraden hatten auch nur selten Lust auf ein zweites Treffen.

EIERSCHALENFABRIK

Wie auch andere Dinosaurier konnten weibliche Allosaurier Kalzium* in ihren Knochen speichern. Daraus produzierten sie Eierschalen, aus denen dann ihre Babys schlüpften.

BRACHIOSAURUS

DIRK DICKBAUCH

TANSANIA

Wenn ich an meinen Ur-Ur-Ur-Opa Dirk denke, erinnere ich mich als Erstes daran, dass er wirklich STÄNDIG gefressen hat. Das erklärt vielleicht, weshalb er zu den größten und schwersten Landtieren gehörte, die jemals auf dieser Erde lebten.

Ohne Unterlass kaute er an allem Grünzeug, das ihm zwischen die Zähne kam. Leider hatte er dadurch Tag und Nacht Blähungen. Puuuh, was für ein Gestank!

GERADEZU HALSBRECHERISCH

Brachiosaurier waren riesige, Pflanzen fressende* Dinosaurier mit langen Hälsen, die bis in die höchsten Baumwipfel reichten. Der Hals eines Brachiosaurus war 9 Meter lang. Sein Herz musste doppelt so stark pumpen wie das einer Giraffe, um das Blut bis ganz hinauf in das Gehirn zu befördern.

KEIN BLATT VOR DEM MAUL

Brachiosaurier waren so groß, dass sie jeden Tag an die 400 Kilo Blätter fressen mussten, um zu überleben. Wo Dirk einmal durchkam, wuchs buchstäblich kein Blatt mehr.

RIESENMAUL

Dirks löffelförmige Zähne eigneten sich super, um Pflanzen abzugrasen. Es war fast so, als hätte er immer sein eigenes Besteck bei sich, was natürlich eine große Erleichterung beim Abwasch war.

CERATOSAURUS

HORST HORNI

USA

Hier kommt ein Familiengeheimnis, über das keiner gerne spricht.
Mein Cousin Horst, von uns „Horni" genannt, war ein Ceratosaurier.
Ceratosaurier waren viel kleiner als andere Fleischfresser*, deshalb
jagten sie gerne in Gangs. Eines Tages, nach einer harten Woche,
in der sie wenig gefangen hatten, war Horst so ausgehungert, dass
er einfach mal einen Happs von einem seiner Kumpels nahm.

AUF LEISEN ZEHEN

Horst war so ein guter
Läufer, weil er an jedem Fuß
4 Zehen hatte, anstatt nur 3.
Seine extra Zehenklaue
funktionierte in etwa so wie
die Spikes an Laufschuhen.

BABY-RÄUBER

Ceratosaurier schnappten sich
gerne mal die Eier von Dinosauriern,
ehe die Babys schlüpften. Als Babysitter
war Horst also nicht rasend beliebt.

Danach gab es kein Zurück mehr.
Er fraß einfach fast alle seine Freunde
auf. Aber nicht nur das: Die Freunde,
die er nicht gefressen hatte, wurden
nun auch zu Kannibalen. Weshalb wir
über dieses sehr düstere Geheimnis
wohl besser den Mantel des Schweigens
breiten ...

MORDSATTRAKTIV
Das Horn sieht zwar tödlich
aus, es sollte allerdings nur
anziehend auf mögliche
Partner* wirken. Sagt über
meinen Cousin was ihr wollt,
aber für Accessoires hatte er
echt ein Händchen.

SCHARFES GRINSEN
Die Zähne eines Ceratosaurus
waren rasiermesserscharf und
eigentlich zu groß für sein Maul.
Er sah vielleicht aus, als würde er
lächeln, doch tatsächlich war er
wohl kurz davor, dich zu fressen.

ARCHAEOPTERYX

TANTE FLATTERIX

DEUTSCHLAND

Dinosaurier konnten fliegen – die Fossilien meiner Tante Flatterix sind der todsichere Beweis dafür. Eines Tages, als sie über die Tropeninsel Deutschland flanierte, lief sie direkt in einen ziemlich großen und ausgehungerten Compsognathus hinein. Eingeklemmt zwischen Palme, Felsen und dem Killer-Dino war ihre einzige Option: Flieg oder stirb. Also flog sie. Tante Flatterix' Geschichte inspirierte Tausende junger Dinosaurier dazu, ihre eigenen verborgenen Flugkünste zu entdecken.

MIT EINEM FLÜGELSCHLAG

Jahrelang verwirrte der Archaeopteryx die Wissenschaftler, bis sie endlich begriffen, dass nicht alle Dinosaurier Schuppen hatten. Flatterix' Federn hielten sie nicht nur schön warm, sondern dienten auch noch einem anderen Zweck – dem Fliegen.

AUF UND DAVON

Ein Archaeopteryx flog genauso wie ein Vogel heute. Tante Flatterix erhob sich in die Lüfte, um den Beißern des hungrigen Compsognathus zu entfliehen.

DIE KREIDEZEIT
145 BIS 66 MILLIONEN JAHRE

(vor wirklich langer, langer Zeit)

Meine Oma nannte die Kreidezeit* gerne „unser goldenes Zeitalter".
Endlich begannen wir Dinosaurier zu zeigen, was für eine clevere Bande
wir doch waren. Wir entwickelten neue Talente und Interessen, fanden
heraus, wie man fliegt, bereisten die Welt und lernten, unser Essen zu kauen.
Das wärmere Wetter war dabei recht hilfreich (Sonnenschein macht doch
jedem gute Laune). Auch neue Pflanzen und Tiere schossen aus dem Boden
und gaben der Erde ein frisches, neues Aussehen.

IGUANODON
ONKEL COLUMBUS
BELGIEN

Bald nachdem die ersten blühenden Pflanzen auf der Erde aufgetaucht waren, kreuzten die friedliebendsten Dinosaurier auf, die jemals lebten. Angeführt wurden diese Iguanodons, die am liebsten in Herden* unterwegs waren, von meinem Onkel Columbus, einem ganz und gar unbekümmerten Typen. Sie hielten ständig nach ihrer nächsten Veggie-Mahlzeit Ausschau und kamen auf der Suche danach sogar bis in die Mongolei und die Antarktis.

REISEBÜRO

Iguanodons liebten Gruppenreisen in weit entfernte Gegenden. Andere Dino-Familien, wie die Ankylosaurier, schlossen sich ihnen manchmal an, damit sie sicher reisen und auch die ein oder andere Sehenswürdigkeit abklappern konnten.

GARANTIERTER KAUSPASS

Iguanodons hatten flache Zähne, „Wangenzähne" genannt. Mit denen konnten sie zähe Pflanzen ordentlich kauen. Columbus litt sicher nie an Verdauungsbeschwerden*.

Ihr Motto lautete „Probier's mal mit Gemütlichkeit", und genau diese entspannte Einstellung führte zur größten Errungenschaft der Tiere: Iguanodons waren die ersten Dinosaurier, die ihr Essen ordentlich kauten. Die Dinos vor ihnen hatten ihre Mahlzeiten in einem einzigen Bissen heruntergeschlungen. Columbus bewies damit, wie weit dich gute Manieren und ein einnehmendes Lächeln in der Welt bringen können.

DAUMEN HOCH

Die Daumen eines Iguanodons waren scharfe Krallen, mit denen er Samen öffnen und Angreifer in die Flucht schlagen konnte. Wenn du denkst, dass Columbus sie zum Trampen einsetzte, dann hast du dich gründlich geirrt.

SINORNITHOSAURUS
FAST FOOD-FRIEDA
CHINA

Fast Food-Frieda lieferte den Stoff, aus dem Dinosaurier-Legenden sind. Und davon so viel, dass meine Familie und ich nicht sicher waren, ob Frieda nun tatsächlich existierte oder nicht. Sie war halb Vogel, halb Eidechse und bewegte sich durch die Wälder wie ein Geist, getarnt durch ihre Federn. Frieda flog zwar nicht so wie ein echter Vogel, dafür glitt sie geräuschlos durch die Baumwipfel.

Der Legende nach kämpfte Frieda für die Kleinen und Schwachen, doch die Beweislage spricht eher dagegen. Ein gleitender Dinosaurier ähnlicher Größe und Farbe wurde dabei beobachtet, wie er Baby-Dinosaurier mit seinen Giftzähnen* in Schockstarre versetzte, bevor er sie zum Abendessen verspeiste.

RATZFATZ FERTIG
Ein Sinornithosaurus hatte lange, gefurchte Zähne und eine Tasche im Oberkiefer, in der er vermutlich Gift hortete. So konnte sich Frieda aus einem Gegner ganz schnell ein einfaches Fertiggericht zaubern.

GEFIEDERTER FEIND

Ein in Bernstein* erhaltenes Sinornithosaurus-Fossil zeigt die Fasern oder Stränge seiner Federn ganz genau. Ohne dieses Fossil wäre Fast Food-Frieda wohl als Hühnchen in die Geschichte eingegangen.

TITANOSAURUS

KARLA KOLOSSA

ARGENTINIEN

Es soll nicht garstig klingen, wenn ich behaupte, dass Karla, meine Cousine zweiten Grades, der schwerste Dinosaurier der ganzen Welt war. Das liegt daran, dass sie so einen langen Hals hatte. Während sich die kleineren Dinosaurier um den besten Busch zankten, knabberte Karla bereits an den saftigsten Blättern weit oben in den Baumwipfeln. Sie war ein gefräßiges Schlemmermaul. So wurde sie schließlich so groß wie ein kleiner Berg.

UNTERGRUND-NESTER

Titanosaurier-Weibchen legten bis zu 25 Eier gleichzeitig. Mit ihren Hinterbeinen schaufelten sie Löcher und vergruben die Eier unter Pflanzen, bis die Babys ausschlüpften.

32

WIRKLICH RIESIG

Titanosaurier sind die größten Tiere, die jemals auf der Erde lebten. Ein Fossil im American Museum of Natural History soll sogar 70 Tonnen gewogen haben – so viel wie 10 afrikanische Elefanten zusammen. Um die Knochen auszugraben, mussten die Wissenschaftler Straßen und Teile eines Hügels verlegen. Karla hätte sich wegen dieser Peinlichkeit zu Tode geschämt.

EINE FRAU VON WELT

Karla liebte nichts mehr, als mit Freunden auf Reisen zu gehen. Man fand Fossilien ihrer Dinosaurier-Freunde auf jedem Kontinent der Erde, sogar in der Antarktis. Ihre Zehen waren zu Knochenstümpfen zusammengewachsen und ihre Füße mit Fleischpolstern ausgestattet, auf denen sie wie in bequemen Turnschuhen gingen.

PTEROSAURIER

DIE LUFTKAMPFTRUPPE DES ERDMITTELALTERS

Obwohl sie genau genommen nicht zu den Dinosauriern gehören, fühle ich mich der Luftkampftruppe des Mesozoikums* trotzdem sehr nahe, da wir eine gemeinsame Ur-Ur-Ur-Ur-Ur-Großechse haben. Sie haben sich ihren Platz in den Dino-Geschichtsbüchern redlich verdient, da sie bewiesen haben, dass Hohlknochen, ledrige Flügel und ein 1a-Sehvermögen unschlagbar sind. Mit rund 110 Arten, deren Größe von einem Spatz bis zu einem Flugzeug reichte, regierten die Flugsaurier den Himmel.

VERLEIHT FLÜGEL
Pteranodon, USA

Ein Pteranodon konnte wie ein Albatros durch die Lüfte segeln und sich von den warmen Luftströmen nach oben tragen lassen, ohne auch nur mit den Flügeln zu schlagen. Diese ledrigen Flügel hatten eine Spannweite von 7 Metern.

FLIEGENDE GIRAFFE
Hatzegopteryx, Rumänien

Dieser Pterosaurier war das größte jemals bekannte fliegende Tier. Er lebte auf der rumänischen Insel Hateg, wo er keine Feinde hatte. Er war so riesig wie eine Giraffe und konnte seine Beute im Ganzen verschlucken. Diese „Flug-Giraffe" brauchte eine Flügelspannweite* von 11 Metern.

Anurognathus, Deutschland

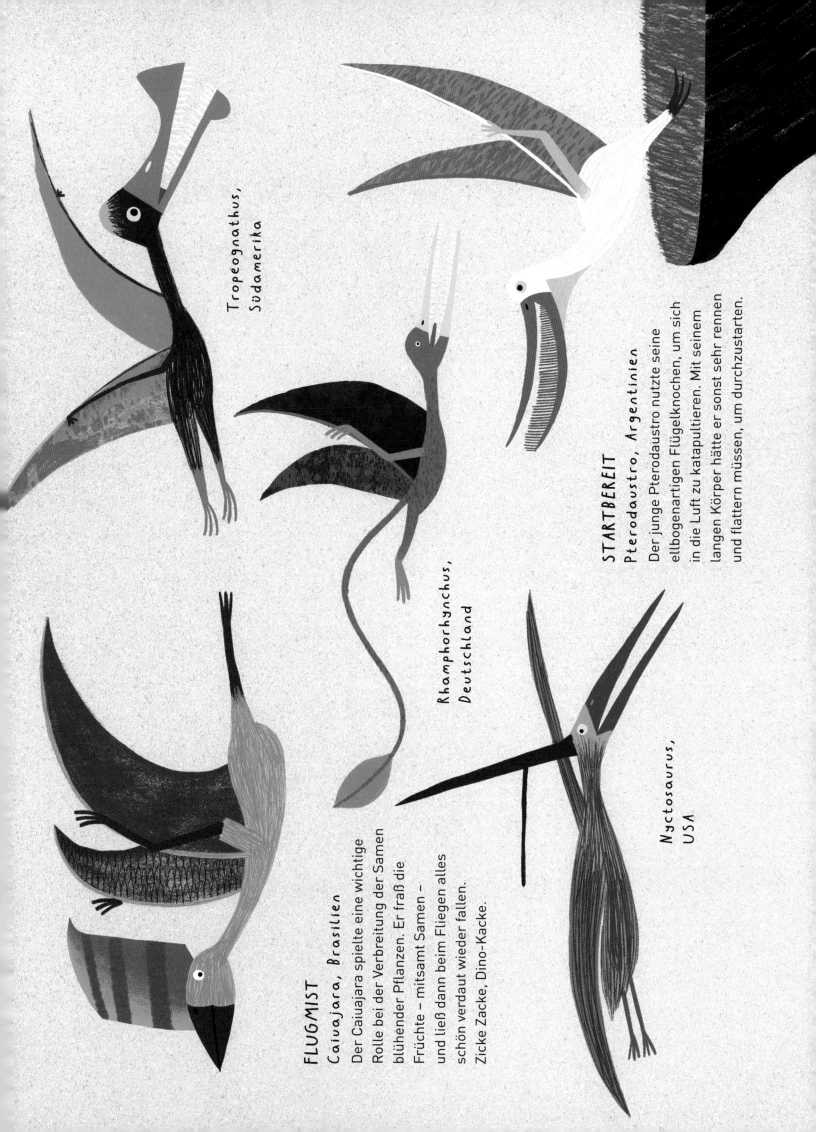

Tropeognathus, Südamerika

Rhamphorhynchus, Deutschland

STARTBEREIT
Pterodaustro, Argentinien

Der junge Pterodaustro nutzte seine ellbogenartigen Flügelknochen, um sich in die Luft zu katapultieren. Mit seinem langen Körper hätte er sonst sehr rennen und flattern müssen, um durchzustarten.

Nyctosaurus, USA

FLUGMIST
Caiuajara, Brasilien

Der Caiuajara spielte eine wichtige Rolle bei der Verbreitung der Samen blühender Pflanzen. Er fraß die Früchte – mitsamt Samen – und ließ dann beim Fliegen alles schön verdaut wieder fallen. Zicke Zacke, Dino-Kacke.

GIGANOTOSAURUS

JAMES EIDECHSE

ARGENTINIEN

DER ZAHN DER ZEIT

James Eidechse hatte buchstäblich ein gefährliches Lächeln. Giganotosaurier wie er hatten scharfe, gezackte Zähne, die bis zu 20 cm lang waren. In Kombination mit seinem muskulösen Hals konnten sie das Fleisch so leicht von der Beute reißen, als wäre es ein bereits vorgeschnittenes Knoblauchbaguette.

NICHT GLEICH DEN KOPF VERLIEREN

Der Schädel eines Giganotosauriers konnte zwar bis zu 2 Metern lang werden, war aber dank zweier großer „Fenster" an den Seiten recht leicht. Durch den leichten Kopf war der Giganotosaurier zwar schneller, sein Schädel jedoch zerbrechlicher – zu zerbrechlich zum Zermalmen von Dino-Gegnern.

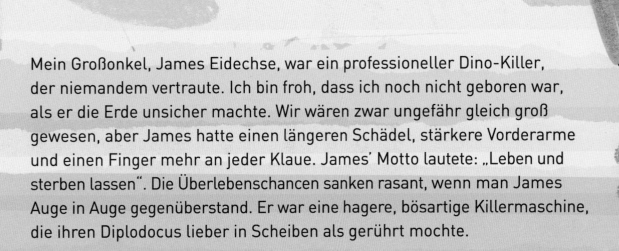

Mein Großonkel, James Eidechse, war ein professioneller Dino-Killer, der niemandem vertraute. Ich bin froh, dass ich noch nicht geboren war, als er die Erde unsicher machte. Wir wären zwar ungefähr gleich groß gewesen, aber James hatte einen längeren Schädel, stärkere Vorderarme und einen Finger mehr an jeder Klaue. James' Motto lautete: „Leben und sterben lassen". Die Überlebenschancen sanken rasant, wenn man James Auge in Auge gegenüberstand. Er war eine hagere, bösartige Killermaschine, die ihren Diplodocus lieber in Scheiben als gerührt mochte.

MINDESTHALTBARKEITSDATUM

Was die Frische ihrer Nahrung anging,
waren Giganotosaurier nicht wählerisch.
Sie fraßen sowohl ihre eigene Beute als
auch die Überreste der Beute anderer
Dinosaurier, verschmähten aber auch
Dinos nicht, die eines natürlichen Todes
gestorben waren.

RENN UM DEIN LEBEN

Obwohl James so groß war, nahm er es
mit seinen langen, muskulösen Beinen
als Läufer mit jedem Pflanzen fressenden
Dinosaurier auf. Stell dir vor, ein Tier von
der Größer dreier Nashörner ist mit einer
Geschwindigkeit von 50 Stundenkilometern
hinter dir her.

SPINOSAURUS
CLEOPATRA
ÄGYPTEN

Wir dachten immer, dass Cleopatra, die Schwester
meiner Großmutter, ein schüchterner Dinosaurier sei.
In ihrer Heimat, Ägypten, sah man auf dem Fluss oft nur
ihre Nasenlöcher blubbern. Ihre Dino-Nachbarn bekamen
also einen ziemlichen Schrecken, als sie mal an Land ging.
Ihren Rücken zierte ein enormes bootartiges „Segel"
und damit war Cleopatra der größte Theropode, der je
auf Erden herumlief. Alle waren jedoch sehr erleichtert,
als herauskam, dass Cleopatra gar nicht scharf auf
Dinosaurier-Fleisch war. Trotzdem hielten Dino-Eltern
ihre Kleinen von da an vom Flussufer fern, für den Fall,
dass Cleopatra doch einmal Appetit bekommen sollte.

PLANSCHBECKEN-JÄGER
Spinosaurier hatten schwere Knochen,
damit sie besser ins Wasser eintauchen
konnten, flache Füße, die sich perfekt
zum Paddeln eigneten, und
krokodilartige Kiefer.

MIT VOLLEN SEGELN

Das Haut-„Segel" auf Cleopatras Rücken befand sich zwischen einer Reihe von 1,5 Meter langen Dornfortsätzen der Rückenwirbel. Es diente möglicherweise dazu, ihre Körpertemperatur zu regulieren, im Wasser zu steuern oder einen Partner auf sich aufmerksam zu machen. Denn Aufmerksamkeit erregte es mit Sicherheit!

BIN BEIM ANGELN

Die lange Schnauze des Spinosaurus war von Sensoren bedeckt, mit denen er im Wasser Fische aufspüren konnte. Die Nasenlöcher saßen sehr hoch auf dieser Schnauze. Cleopatra konnte sich ihr Abendessen angeln, indem sie am Flussufer stand und einfach ihre Schnauze ins Wasser steckte. Dabei wurde nicht einmal ihr Segel nass.

VELOCIRAPTOR
BONNIE & CLYDE
MONGOLEI

Meine Cousins zweiten Grades, Bonnie & Clyde, waren ein berühmt-berüchtigtes Pärchen junger Dino-Krimineller. Um zu überleben, gehörten Dolch-in-den-Rücken und Verabredung-zum-Mord zu ihren bevorzugten Methoden. Da ein Velociraptor nicht größer war als ein überdimensionierter Truthahn, war klar, weshalb sie zu diesen Mitteln greifen mussten. Es ist nicht bekannt, ob Bonnie & Clyde allein oder in einer Gang jagten – sie waren so clever, ihre Spuren zu verwischen. Aber die Fossilien an einem Tatort in der Mongolei zeigen einen Velociraptor, der in seinen klauenartigen Krallen einen wesentlich größeren Protoceratops festhält. Bonnie & Clyde schwören Stein und Bein, dass es sich dabei nur um ein harmloses Gerangel unter Freunden gehandelt hätte.

GEFIEDERTE FREUNDE

Das Federkleid von Bonnie & Clyde wurde bald DER Trend unter rebellischen Dinosauriern. Die Fossilien eines Velociraptors weisen Kerben an jenen Stellen auf, an denen sich die Federn befanden. Er gehört damit zu den vielen Dino-Arten, von denen wir heute wissen, dass sie nicht geschuppt waren, sondern gefiedert.

AUFGEGABELT

Der Velociraptor hatte Hohlknochen, Klauenfüße, eine federartige Bekleidung und ein Gabelbein in der Brust – ganz ähnlich den Vögeln heute.

IN DEN FALSCHEN HALS

Das Geheimnis von Bonnie & Clyde war ihre „Todeskralle". Sie befand sich an den Hinterfüßen und hatte die Form einer scharfen Sichel oder eines Hakens. Der Velociraptor tötete seine Beute, indem er ihr damit in den Hals stach.

ANKYLOSAURUS

PANZER-ANGIE

KANADA

Ich übertreibe nicht, wenn ich behaupte, dass meine Cousine Angie wie ein Panzer gebaut war. Sie hatte eine gepanzerte Haut*, die Kopf und Körper schützte, sowie scharfe Hörner, die aus ihrem Gesicht und ihrem Schädel herausragten. An ihrer Schwanzspitze hing außerdem ein 20 Kilo schwerer Knüppel. Schon allein mit ihrem Schwanz hätte Angie ordentlich Schaden anrichten können, doch sie war von Natur aus friedlich und ihre Waffe diente tatsächlich nur der Selbstverteidigung. Mit den Hörnern, die ihr aus den Wangen wuchsen, wirkte sie auf mich wie ein Ur-Punk, der zum Sound seiner eigenen Musik marschiert.

KNÜPPELDICK

Der Knüppel, den ein Ankylosaurus am Schwanz trug, bestand aus 20 Kilo massivem Knochen. Da die Muskeln in Angies Schwanz steif waren, erreichte der Knüppel mit Schwung schon mal ein Gewicht von 200 Kilo, weshalb ich immer sehr darauf bedacht war, VOR Angie zu gehen.

DICKE HAUT

Die Haut entlang der Wirbelsäule eines Ankylosaurus bestand eigentlich aus massiven Knochenplatten, von denen einige – für noch mehr Widerstandskraft – miteinander verbunden waren. Angies Haut war so dick, dass die Zähne eines Angreifers abgebrochen wären, hätte er versucht, sie zu beißen.

SCHLACHTROSS

Angie war so schwer bewaffnet, dass sie nur sehr langsam gehen konnte. Ihre kurzen, stämmigen Beine waren dazu geschaffen, ihr Gewicht zu tragen, und ihr Kiefer kippte rauf und runter wie ein Ritterhelm. Sogar ihre Nasenlöcher waren zur Seite gerichtet, weg von drohender Gefahr.

OLOROTITAN
SIEGFRIED, DER SCHWAN
RUSSLAND

Siegfried, der Schwan, war der eleganteste Dinosaurier von allen. Er bezauberte mit seinem langen Hals, den schlanken Vorderbeinen und dem auffälligen Kopfschmuck. Siegfrieds Leidenschaft war das Tanzen, und am Wochenende hielt er Kurse für junge Olorotitane ab. Einige der Jungspunde waren so groß wie Erwachsene und man kann sich vorstellen, wie die Erde unter ihren Sprüngen und Drehungen bebte. Das war natürlich kein Vergleich zu dem Ballett „Schwanensee", aber Siegfried liebte es (und es war DIE Gelegenheit für ihn, mit seinen eigenen coolen Moves anzugeben).

RUF MICH AN!

Der Auswuchs ganz oben auf dem Kopf eines Olorotitans war hohl und diente vermutlich dazu, anderen Dinosauriern etwas zuzubrüllen. Junge Olorotitane hatten kleinere Schädelkämme, die höhere Töne hervorbrachten.

PERLWEISS

Der Olorotitan zermalmte seine Nahrung auf eine Art und Weise, die dem Kauen ähnelte. Fielen seine Zähne aus, wuchsen sie immer wieder nach. Da hatte Siegfried echt Glück, denn ein Satz blitzblanker Beißerchen war unverzichtbar für jeden Dino-Tänzer.

SCHWANENHAFT

„Olorotitan" bedeutet soviel wie „riesiger
Schwan", der Name, den Siegfried
aufgrund seines schwanengleichen Halses
und seines entzückenden Entenschnabels
erhielt. Und mit 8 Metern Länge und
5 Tonnen Gewicht war er definitiv riesig.

45

TRICERATOPS

KRAGEN-FRITZI

USA

Seit unserer Kindheit verband Fritzi und mich eine innige Hassliebe.
Jeden Tag ging ich rüber zu ihr, um mich mit ihr zu kabbeln, und
jedes Mal meinte sie: „Verschwinde Tony, du weißt doch, ich tu dir
nur weh." Tatsächlich humpelte ich jedes Mal schwer verletzt nach
Hause. Als Triceratops war sie kleiner als ich, langsamer als ich
und hatte ziemlich kurze Beine. Aber vor ihren spitzen Hörnern
gab es einfach kein Entkommen. Eines Tages biss ich ihr eines ab
und es wuchs ratzfatz wieder nach! Ich brauchte Jahre, um
herauszufinden, dass Fritzis Kragen auch ihre Schwachstelle
war. Er nahm ihr nämlich die Sicht auf Jäger, die sich
von hinten anschlichen.

IM KREIS DER FAMILIE

Triceratops waren immer als Familie
unterwegs. Wenn ein anderer Dinosaurier
sie angreifen wollte, dann stellten sich
die Erwachsenen im Kreis um die Jungen –
mit den Hörner nach außen.

FINDE DEN UNTERSCHIED

Das Alter eines Triceratops erkennst du an der Form seiner Hörner. Kinder hatten nach hinten gekrümmte, Teenager gerade und Erwachsene nach vorne gekrümmte Hörner.

KRAGEN, WOHIN DAS AUGE BLICKT

Der Triceratops gehörte zu den Landtieren mit dem größten Schädel. Der Knochenkragen um Fritzis Kopf hatte einen Durchmesser von 1 Meter – kein Wunder, dass sie nach hinten nichts sehen konnte.

NUR EIN KOPFSCHÜTTELN

Der Triceratops benutzt seine Hörner wie ein Hirsch sein Geweih. Die Männchen kämpften miteinander, um herauszufinden, wer hier das Sagen hatte. Fritzi hingegen durchbohrte ihre Feinde mit einem schnellen Kopfschütteln. Ich muss es wissen – mit meinen vielen Narben.

TYRANNOSAURUS

TONY T-REX

USA

Das Beste kommt zum Schluss – und das bin ich! Eigentlich klar, dass ich mich nicht vorstellen muss, weil ich ja dank meiner Kraft und meiner Grausamkeit weltberühmt bin. Und doch gehe ich offenbar als der Dino mit den Stummelarmen in die Geschichte ein. Ich möchte hier aber mal sagen: Kein Landtier konnte JEMALS so kräftig zubeißen wie ich! Das lag an meinem einzigartigen Schädel. Der war 1,5 Meter lang, und mein Kiefer war so beweglich, dass ich ihn unglaublich weit aufreißen und mit enormer Kraft zubeißen konnte. Damit habe ich alle Knochen gebrochen und war immer der Sieger. War ja auch kein Wunder, weil Knochenmark eine ganze Menge nützlicher Mineralien enthält. Dadurch war meine Ernährung tippitoppi, und ich habe auch immer meinen Kindern gepredigt: Fresst alle eure Knochen auf, sonst werdet ihr selber gefressen.

WACHSTUMSSPRUNG

Als Teenager macht der Tyrannosaurus einen kräftigen Wachstumssprung. Als meine Kinder 17 Jahre alt waren, hielt ich mich lieber von ihnen fern. Wenn nicht dieser blöde Meteorit gewesen wäre, dann hätten sie mich wohl zuerst erwischt.

DIE BEUTE ANPEILEN

Tyrannosaurier wie ich hatten Augen in
der Größe von Grapefruits, und wie alle
Vögel und Reptilien sahen wir in Farbe.
Meine Nase war so schmal wie die eines
Wolfs – so hätte ich dich besonders gut
sehen können!

BEISS MICH

Die Zähne vorne in meinem Maul
waren 20 cm lang, nach hinten
gekrümmt und hatten zur Verstärkung
Kämme auf der Rückseite.
Ich konnte hemmungslos auf meiner
Beute herumkauen und sie durch
die Gegend zerren – ohne auch nur
einen Zahn zu verlieren.

JURA-KACKE

Die Hinterlassenschaften eines Tyrannosaurus konnten
so lang sein wie ein menschlicher Arm und so viel wiegen wie
ein 6 Monate altes Baby. Fossile Dino-Kacke wird Koprolith* genannt.
William Buckland und Mary Anning entdeckten Koprolith Anfang
des 19. Jahrhunderts und machten eine Tischplatte daraus.
Da soll noch mal einer sagen, wir Dinosaurier wären
unzivilisiert.

49

DAS ENDE
VOR 66 MILLIONEN JAHREN
(vor wirklich langer Zeit)

GROSSER FEUERBALL

Der Meteorit, der zum Aussterben*
der Dinosaurier führte, war 15 Kilometer
breit und sein Einschlag hatte eine
Staubwolke zur Folge, die die Sonne
verdunkelte.

AUS UND VORBEI

75 Prozent aller Arten auf der Erde
verschwanden und kein vierbeiniges
Tier, das mehr als 25 Kilo wog,
überlebte. Die Temperatur sank und
ein langer, langer Winter begann.

Die Land-Dinosaurier hinterließen einen bleibenden Eindruck auf dieser Erde, also ist es nur angebracht, dass sie mit einem riesigen Knall abtraten. Das Massenaussterben, das meine Familie auslöschte, wurde durch einen Meteoriten verursacht. Der fiel einfach aus seiner Umlaufbahn* im Weltall und legte in Chicxulub im Golf von Mexiko eine Bruchlandung hin. Mit Ausnahme von ein paar großen Schildkröten, Krokodilen und Eidechsen starben die meisten Bewohner der Erde aus. (Jetzt wären ein paar Tränchen angebracht.) Aber wie ich höre, haben Säugetiere*, Vögel und Fische nach uns eine richtige Blütezeit erlebt, also sollte ich mir das wohl nicht so zu Herzen nehmen. Ein Dino geht, eine andere Spezies* kommt.

MUT ZUR LÜCKE

Neue Arten von Eidechsen, Schlangen, Fische und Schmetterlinge traten ins Rampenlicht, und Säugetiere mussten nicht länger mit den Dinosauriern konkurrieren. So entwickelten sich zahlreiche verschiedene Arten, die die Lücken füllten.

51

DIE RUHMESHALLE DER FOSSILIEN

Hier in der Ruhmeshalle der Fossilien kannst du die fossilen Skelette meiner Familie sehen und herausfinden, wo du ihnen im echten Leben begegnen kannst.

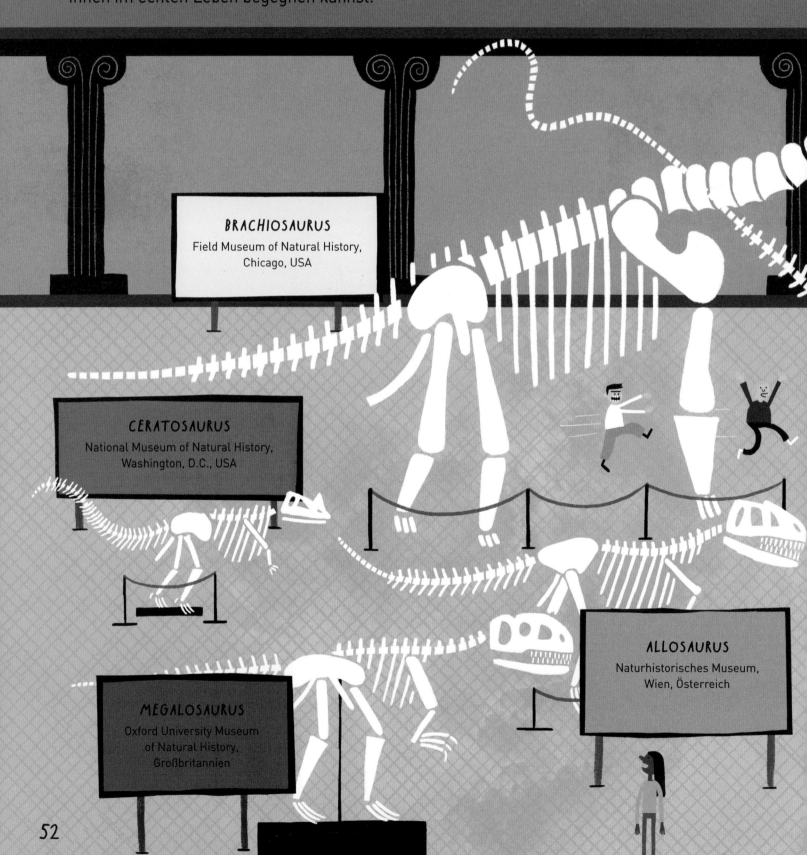

BRACHIOSAURUS
Field Museum of Natural History,
Chicago, USA

CERATOSAURUS
National Museum of Natural History,
Washington, D.C., USA

ALLOSAURUS
Naturhistorisches Museum,
Wien, Österreich

MEGALOSAURUS
Oxford University Museum
of Natural History,
Großbritannien

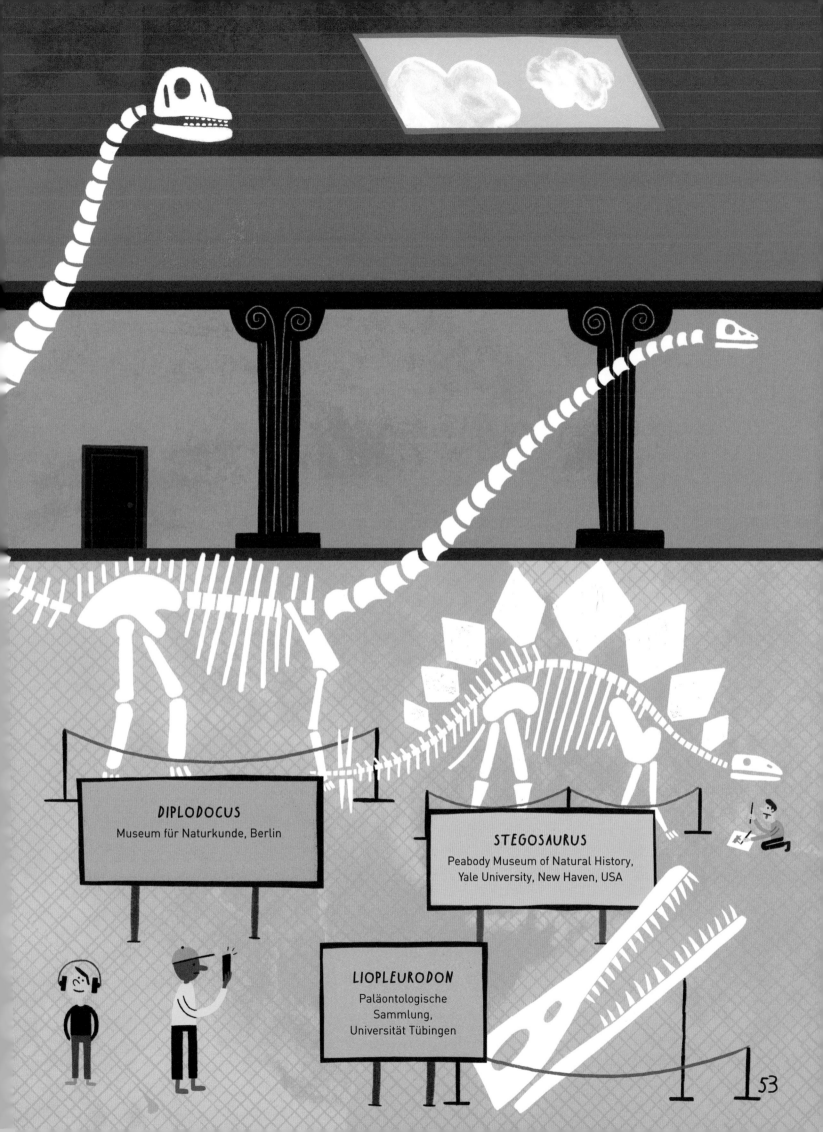

DIPLODOCUS
Museum für Naturkunde, Berlin

STEGOSAURUS
Peabody Museum of Natural History,
Yale University, New Haven, USA

LIOPLEURODON
Paläontologische
Sammlung,
Universität Tübingen

DIE RUHMESHALLE DER FOSSILIEN

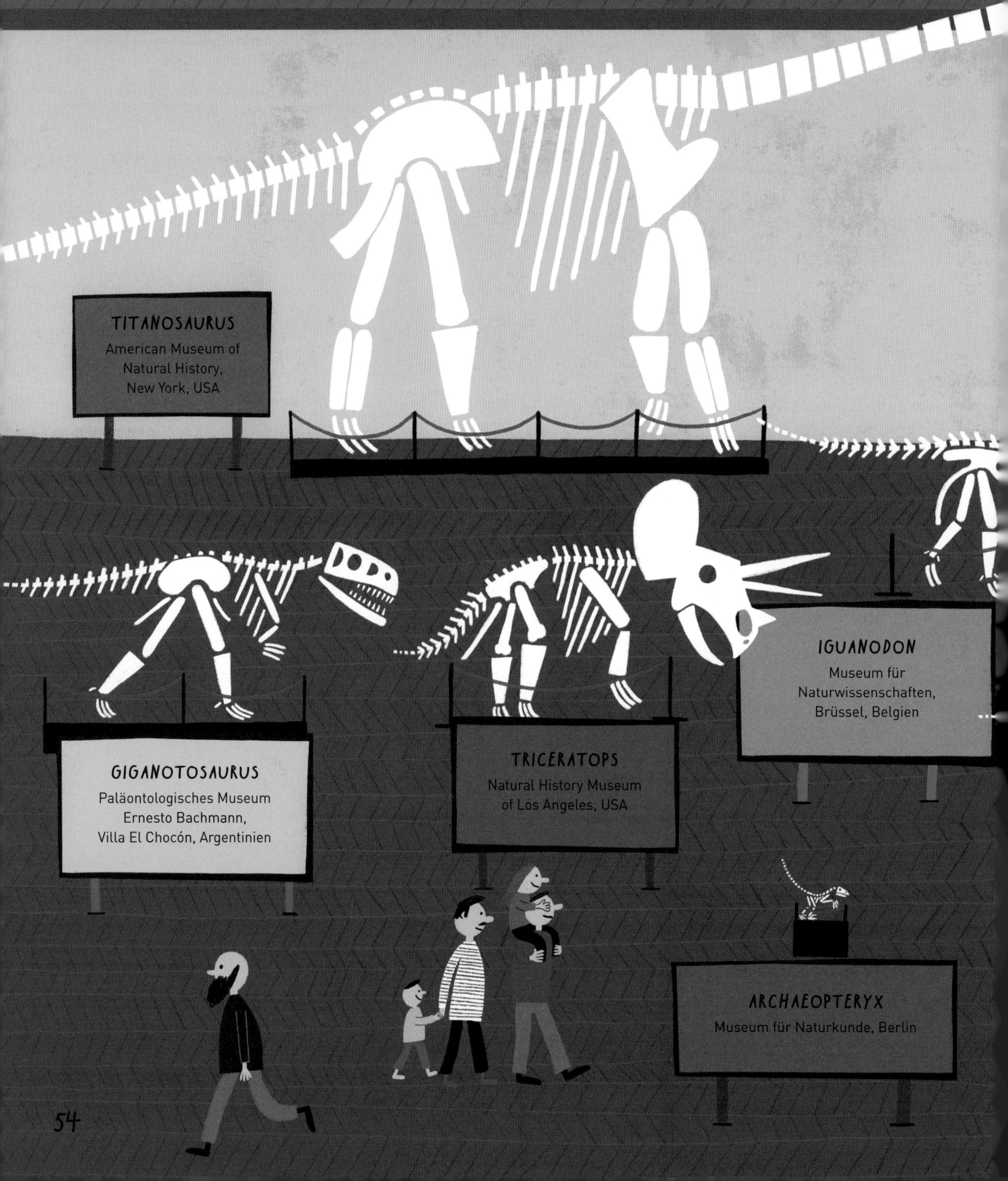

TITANOSAURUS

American Museum of
Natural History,
New York, USA

GIGANOTOSAURUS

Paläontologisches Museum
Ernesto Bachmann,
Villa El Chocón, Argentinien

TRICERATOPS

Natural History Museum
of Los Angeles, USA

IGUANODON

Museum für
Naturwissenschaften,
Brüssel, Belgien

ARCHAEOPTERYX
Museum für Naturkunde, Berlin

SPINOSAURUS
National Geographic Museum,
Washington, D.C., USA

SINORNITHOSAURUS
Institut für Wirbeltierpaläontologie
und Paläoanthropologie,
Peking, China

VELOCIRAPTOR
Zentrales Museum der
Mongolischen Dinosaurier,
Ulan Bator, Mongolei

ANKYLOSAURUS
Royal Tyrrell Museum
of Palaeontology,
Alberta, Kanada

OLOROTITAN
Museum für
Naturwissenschaften,
Brüssel, Belgien

EPIDEXIPTERYX
Institut für Wirbeltierpaläontologie
und Paläoanthropologie,
Peking, China

TYRANNOSAURUS
Natural History Museum,
London, Großbritannien

WO WAREN WIR ZU HAUSE?

Dank der Kontinentalverschiebung* sind die
Fossilien meiner Familie über die ganze
Welt verstreut. Wenn du Paläontologe
werden möchtest, dann findest du
hier einige Orte, an denen es
sich lohnt zu graben.

ANKYLOSAURUS
Kanada

NORDAMERIKA

TRICERATOPS
USA

TYRANNOSAURUS
USA

DIPLODOCUS
USA

CERATOSAURUS
USA

STEGOSAURUS
USA

IGUANODO[N]
Belgien

MEGALOSAURUS
Großbritannien

LIOPLEURODON
Frankreich

EUROPA

ALLOSAURUS
Portugal

ATLANTIK

AFRIKA

SÜDAMERIKA

CAIUAJARA
Brasilien

GIGANOTOSAURUS
Argentinien

TITANOSAURUS
Argentinien

ARCHAEOPTERYX
Deutschland

ASIEN

VELOCIRAPTOR
Mongolei

OLOROTITAN
Russland

SINORNITHOSAURUS
China

EPIDEXIPTERYX
China

PAZIFIK

SPINOSAURUS
Ägypten

BRACHIOSAURUS
Tansania

OZEANIEN

FINDE DEINE EIGENEN FOSSILIEN

Um Fossilien freizulegen, ohne sie zu zerbrechen, braucht es ganz besondere Fähigkeiten, also warte noch kurz mit dem Graben und lerne von den Profis. Fossilien findet man in den Gebieten, wo die Erde lose ist, indem man unter Steinen oder an Sandstränden sucht. Aber entferne besser nichts, das in einem Felsen, einem Gebäude, einer Mauer, einem Zaun, einer Brücke oder einer Klippe steckt, weil es vielleicht dazu dient, etwas anderes abzustützen. Sonst fällt dir die Klippe womöglich auf den Kopf und du läufst Gefahr, selbst zum Fossil zu werden.

HALTE AUSSCHAU NACH DER KACKE

Wenn du auf der Jagd nach Fossilien bist, dann halte nach Kacke und Kotze von Dinos Ausschau. Erbrochenes von Meereswesen wie dem Ichthyosaurus enthält Fischskelette und Muscheln. In der T-Rex-Kacke findest du hingegen die zermalmten Knochen anderer Dinosaurier.

PASS AUF, WOHIN DU LÄUFST

Hört sich überflüssig an, aber du wärst
überrascht, wie schnell du in jemanden
hineinrennen oder über den Rand einer
Klippe fallen kannst, wenn du auf der
Suche nach Fossilien bist. Pass auf, wohin
du deine Füße setzt und dann viel Spaß!

GRAB MIT DEN AUGEN

Eine Menge Ammoniten* und Knochen
lassen sich auch ganz ohne zu graben
aufspüren, besonders in Küstengebieten
wie der Jurassic Coast in Großbritannien.
Buddeln kann Fossilien beschädigen und
Felsen oder Klippen unsicher machen.

Erkundige dich nach den ortsüblichen Verhaltensregeln für das Sammeln.
So erfährst du, wo du herumstöbern und was du sammeln darfst.
Tolle Plätze, um mit der Suche zu beginnen, sind die Jurassic Coast in
Großbritannien, die Calvert Cliffs in den USA, Riverbend in West-Australien,
Zigong in China, der Møns Klint Strand auf der Insel Møn in Dänemark
und der West Coast Fossil Park in Südafrika.

DINO-WÖRTER

Hier findest du das ganze Fach-Kauderwelsch, das du brauchst, um wie ein echter Dino-Experte zu klingen.

AMMONITEN – Tiere, die in einer spiralförmigen Muschel wohnten und in den Ozeanen unterwegs waren.

AUSSTERBEN – Ein Tier gilt als ausgestorben, wenn seine Art nicht mehr existiert.

BERNSTEIN – Ein gelber Schmuckstein, der aus der klebrigen Flüssigkeit besteht, die aus Bäumen tropft. In Bernstein hat man zum Beispiel Dinosaurier-Federn gefunden.

BEUTE – Ein Tier, das von anderen Tieren gejagt oder gefangen wird, um gefressen zu werden.

ENTWICKLUNG – Die langsamen Veränderungen an den Körperteilen eines Tieres oder an einer Pflanze im Laufe der Zeit (auch Evolution genannt).

ERODIEREN – Die langsame Abtragung oder Auswaschung von Felsen, Land oder Erde durch Wasser oder Wind.

FASER – Ein einzelner Faden oder ein sehr dünnes fadenartiges Element, aus dem eine Feder besteht.

FLEISCHFRESSER – Jedes Lebewesen, das andere Lebewesen frisst.

FLÜGELSPANNWEITE – Die Entfernung von einer Flügelspitze zur anderen Flügelspitze.

FOSSIL – Der mineralisierte Knochen oder ein anderes Merkmal eines Tieres oder einer Pflanze aus einer vergangenen Epoche.

GELENKPFANNE – Eine Aushöhlung, die etwas umfasst. Die Hüftgelenkpfanne umfasst den Hüftknochen.

HERDE – Eine Gruppe von Tieren, die gemeinsam leben.

JURA – Die zweite Periode des Mesozoikums, vor ca. 201 bis 145 Millionen Jahren.

KALZIUM – Ein Mineral, das unser Körper einsetzt, um Knochen und Zähne aufzubauen. Dinosaurier und Vögel erzeugen aus Kalzium Eierschalen, in denen ihre Babys heranwachsen.

KONTINENTALVERSCHIEBUNG – Eine Verschiebung oder das Auseinanderbrechen von riesigen Erdteilen, den Kontinenten.

KOPROLITH – Fossile Dinosaurier-Kacke, auch als Kotstein bezeichnet.

KREIDEZEIT – Die letzte Periode des Mesozoikums, vor ca. 145 bis 66 Millionen Jahren.

MASSENAUSSTERBEN – Wenn eine große Anzahl an verschiedenen Pflanzen- und Tierarten aufgrund einer Naturkatastrophe innerhalb von kurzer Zeit verschwindet.

MESOZOIKUM – Die geologische Ära vor der Existenz des Menschen, in der Dinosaurier lebten. Vor 251 bis 60 Millionen Jahren (auch Erdmittelalter genannt).

METEORIT – Ein Felsbrocken, der aus dem Weltall auf die Erde fällt.

MINERAL – Ein Stoff, der sich natürlich in der Erde bildet, wie Salz.

PALÄONTOLOGE – Jemand, der anhand von Fossilien das Leben auf der Erde vor der letzten Eiszeit untersucht.

PANZERHAUT – Schuppige oder verknöcherte Haut, die ein Tier vor Angriffen durch Feinde schützt.

PARTNER – Ein Tier sucht sich ein anderes Tier, ein Männchen oder ein Weibchen, mit dem es Babys bekommen kann.

PFLANZENFRESSER – Ein Tier, das sich ausschließlich von Grünzeug ernährt.

REPTIL – Ein wechselwarmes Tier, das von Hornschuppen oder Platten bedeckt ist und Eier legt.

RÜCKENMARK – Eine langer Schlauch innerhalb der Wirbelsäule, der aus Nerven besteht und das Gehirn mit anderen Körperteilen verbindet.

SANDSTEIN – Eine Gesteinsart, die aus Schichten feinkörniger Schlammstücke besteht.

SÄUGETIERE – Tiere, die ihre Jungen lebend gebären und diese mit Milch aufziehen. Menschen, Hunde und Wale zählen zu den Säugetieren.

SPEZIES – Eine Gruppe von Tieren, die dieselben Eigenschaften haben und auf ähnliche Art und Weise leben oder sich verhalten.

THEROPODEN – Fleisch fressende Dinosaurier mit Hohlknochen und drei Zehen an jeder Gliedmaße.

TIER MIT GIFTZÄHNEN – Ein Tier, das Gift in ein anderes Lebewesen injizieren kann.

TRIAS – Die erste Periode des Mesozoikums, vor ca. 251 bis 200 Millionen Jahren.

UMLAUFBAHN – Die kreisförmige Bahn rund um einen Planeten.

VERDAUUNG – Die Methode, mit der dein Körper Nahrung zerlegt und umwandelt, damit er sie verwenden kann.

VORFAHREN – Eine frühe Tierart oder Tiere, aus denen sich spätere Arten entwickelten.

WIRBEL – Die Knochen in der Wirbelsäule bzw. im Rücken.

WIRBELTIER – Ein Tier mit einer Wirbelsäule.

REGISTER